ALAN POSENER

OLLI AUS OSSILAND

W0324572

Illustrationen: Per Illum

TEEN READERS · TR · TEEN READERS

Alan Posener:
Olli aus Ossiland
Teen Readers, Stufe 3

Herausgeber:
Ulla Malmmose und Charlotte Bistrup

Copyright © 1997 Alan Posener und
EASY READERS, Copenhagen
- a subsidiary of Lindhardt og Ringhof Forlag A/S,
an Egmont company.
ISBN Dänemark 978-87-23-90164-4
www.easyreader.dk
The CEFR levels stated on the back of the book
are approximate levels.

Easy Readers EGMONT

Gedruckt in Dänemark von
Sangill Grafisk Produktion, Holme Olstrup

Über den Autor

Alan Posener wurde in London geboren. Als Kind lebte er in London, Kuala Lumpur und Berlin. Früher war er Lehrer und Rocksänger. Jetzt arbeitet er als Schriftsteller und Übersetzer. Er schreibt Bücher in englischer und deutscher Sprache. Er lebt mit seiner Frau und seiner Tochter und der Katze Katerina in Berlin.

Grenze zwischen der Bundesrepublik Deutschland und der DDR bis 1990

1. Wie alles anfing

Wie soll ich anfangen? Soll ich damit anfangen, wie ich weggegangen bin in den Westen, weil ich es in unserem Dorf nicht mehr aushielt? Und wie ich es dort auch nicht aushielt und zurückkam? Und wie ... Halt! Halt! Da ist schon die halbe Geschichte vorbei. Oder soll ich es machen, wie es unser Deutschlehrer in der Schule immer sagte: "Beginne mit dem Anfang, Oliver, dann kommt der Mittelteil, und dann kommt der Schluss." "Oliver" hat er mich immer genannt, aber alle anderen nennen mich Olli. "Olli aus *Ossiland*" - so haben sie mich im Westen genannt. Stimmt ja auch. Ich bin aus dem Osten. Hier im Osten bin ich geboren.

Ja, und das wäre auch der Anfang, oder? Meine Geburt. Aber, ehrlich gesagt, daran kann ich mich nicht so gut erinnern. Ihr vielleicht? Und zweitens ist meine Geburt ziemlich lange her. Neunzehn Jahre. Dieses lange Leben, neunzehn Jahre, das wäre ein ziemlich langes Buch. Und langweilig. In meiner Kindheit ist eigentlich gar nichts passiert. Also beginne ich nicht mit dem Anfang. Und der Schluss? Schluss ist noch lange nicht, hoffe ich. Ich bin noch mitten im Leben. Also fange ich mitten in meiner Geschichte an, mitten im Mittelteil, und ich höre mitten in meiner Geschichte auf. Und ich beginne - ja, das wird richtig sein - ich beginne an dem

---

[*] = umgangssprachliche Ausdrücke
Ossiland[*], Ostdeutschland. (Vorsicht – das ist ein Schimpwort!)
Erst seit 1990 sind Ostdeutschland - früher die Deutsche Demokratische Republik (DDR) - und Westdeutschland ein Land. Manchmal werden Menschen aus Ostdeutschland "Ossis" und Menschen aus Westdeutschland "Wessis" genannt.

Tag, als für uns im Osten alles anders wurde. Das war der 9. November 1989.

An diesem Abend gab es eine *Fete* im Jugendclub der Glasfabrik. So besonders war das nicht - fast jeden Abend gab es eine Fete im Jugendclub der Glasfabrik. Wo sollte man sonst in unserem Dorf Hohenroda hingehen? Zu Hause bleiben und fernsehen, das war doch auch nichts. Also trafen wir uns im Jugendklub. Ich sage “Dorf”, aber Hohenroda ist eigentlich eine Kleinstadt. Eine Kleinstadt in Sachsen. Mit einem eigenen Bahnhof und einer Glasfabrik. Damals. Damals arbeiteten die meisten Menschen entweder bei der Glasfabrik, wie mein Vater, oder bei der Eisenbahn, wie meine Mutter. Heute sind die Tore der Glasfabrik geschlossen, und am Bahnhof halten keine Züge. Und die meisten Menschen in Hohenroda haben keine Arbeit... Aber da bin ich schon wieder weg vom Anfang dieser Geschichte.

An diesem Abend des 9. November gab es also eine Fete im Jugendclub. Wie immer saß ich mit meinen Freunden von der Schule zusammen. Wir tranken Ost-Cola, die wie Medizin schmeckte, hörten West-Musik, redeten über Autos und Motorräder und sahen zu, wie die Mädchen tanzten.

Mädchen tanzen besser als Jungen, keine Frage. Sie sehen besser aus, wenn sie tanzen. Sie wissen, dass sie gut aussehen, und deshalb haben sie keine Angst. Wenn ich tanze, bekomme ich immer einen roten Kopf, und meine Füße werden *riesengroß*. Da bleibe ich lieber sitzen

---

die Fete, ein Fest, eine Party
riesengroß, sehr groß

und rede über Autos und Motorräder, wie damals.

Heute habe ich sogar ein eigenes Auto. Damals war nicht daran zu denken. Ich war zu jung, natürlich, fünfzehn Jahre alt. Aber auch die meisten Erwachsenen hatten bei uns kein Auto. Auf so ein kleines Auto Marke "*Trabant*" musste man zehn Jahre warten! Ich wollte aber sowieso keinen "Trabi". Mein Traum war es, eine "Schwalbe" zu besitzen. Kennt ihr die "Schwalbe" noch? Das war ein Kleinmotorrad, das bei uns in der DDR gebaut wurde. Mit meiner "Schwalbe" wollte ich dann ganz weit wegfahren. Am Wochenende nach Dresden. Und in den Sommerferien vielleicht sogar bis an die Ostsee. Vielleicht mit Biene zusammen.

Biene - Sabine ist ihr richtiger Name, aber ich habe sie immer Biene genannt, seit wir zusammen im Sandkasten gespielt haben - Biene war noch so ein Traum von mir: Olli und Biene. Oliver Bauer und Sabine Starneck. Zusammen fliegen wir auf meiner "Schwalbe" Richtung Ostsee, Richtung Sonne, Sand und Meer, Richtung Glück ... Aber Biene tanzte mit den anderen Mädchen, hatte die Augen geschlossen und sah mich nicht an. Und meine Freunde tranken Cola, die wie Medizin schmeckte, und redeten von westdeutschen Autos und japanischen Motorrädern - "*Mannomann*, die Kawasaki macht 200 Spitze!" - "*Boah*!" - "Da lässt du glatt den alten Schmodrau in seinem Trabi stehen!" - "In einer Staubwolke!" - "Nü!"

"Nü!" sagen wir hier in Sachsen. Es bedeutet "ja"

---

der "Trabant" ("Trabi"), ein Auto, das in der DDR gebaut wurde
die Schwalbe, ein Vogel, hier: ein Kleinmotorrad, das in der DDR gebaut wurde
Mannomann! Boah![*], Wow! Super! (Ausrufe)

oder “nicht wahr?” Und Schmodrau war der Direktor unserer Schule. Ein “Hundertfünfzigprozentiger”, wie man damals sagte. Bei ihm lernten wir Politik: Warum der Kommunismus besser ist als der Kapitalismus. Warum die Sowjetunion stärker ist als Amerika. Warum die DDR siegen wird, nicht heute, vielleicht nicht morgen, aber eines Tages. Warum uns im Osten die Zukunft gehört. *Tja,* das hat er geglaubt, der alte Schmodrau. Meistens habe ich bei ihm im Unterricht geschlafen. Oder von der “Schwalbe” geträumt. Oder von Biene. Kommunismus. Kapitalismus. Das waren Worte. Amerika. Russland. Sie waren weit weg. Und Zukunft? Ich wusste schon: Nach der Schule werde ich Koch in der *Kantine* der Glasfabrik. Oder in der Bahnhofskantine. Und mit dem ersten richtigen Geld kaufe ich die “Schwalbe” - und *tschüss.*

“He, Olli, wo bist du mit den Gedanken? Träumst du?”

Es war Maik. Mein bester Freund. Maik war ein Jahr älter als ich. Und in allem ein bisschen weiter. Er trank schon Bier und manchmal härtere Sachen. Natürlich hatte ich auch schon Bier probiert, aber - ehrlich gesagt - Cola schmeckte mir besser, sogar die Ost-Cola, obwohl sie wie Medizin schmeckte. Maik rauchte auch. Natürlich hatte ich auch schon Zigaretten probiert, aber - ehrlich gesagt - Kaugummi war mir lieber. Ich war noch ein halbes Kind. Und Maik war ein *cooler* Typ. Alle hatten ein bisschen Angst vor ihm. Auch die Lehrer. Sogar

---

Tja[*], ja
die Kantine, ein billiges Restaurant in einer Fabrik, einem Büro usw.
tschüss, tschüs[*]: auf Wiedersehen, ciao
cool[*], gut, bewundernswert

JUGEND
TANZ
FDJ

Direktor Schmodrau. Deshalb fand ich Maik so gut. Ich wollte auch so cool sein. Jeans, Lederjacke, Zigarette im Mund, Bierflasche in der Hand ...

Aber an diesem Abend hatte Maik keine Bierflasche in der Hand, sondern eine Flasche *Sekt* Marke "*Rotkäppchen*".

"He!" rief Maik. "Hier ist gar keine richtige Stimmung! Was ist los? Olli! Steh auf! Komm mit!"

Er nahm mich an der Hand und zog mich auf die Tanzfläche. Dann schüttelte er die Sektflasche, der *Korken* flog mit einem lauten plopp! an die Decke, und der Sekt spritzte in alle Richtungen. Die Mädchen schrien "Iiiih!" und lachten.

"Los, trinkt!" rief Maik. "Prost!" Alle nahmen einen Schluck aus der Flasche, auch ich. Der Sekt war süß und klebrig. Neben mir stand Biene, trank, lachte und nahm Maik am Arm.

"Was gibt es denn zu feiern?" fragte sie. "Hast du Geburtstag?"

Maik legte den Arm um Biene, nahm einen großen Schluck aus der Flasche und *brüllte* so laut, dass es jeder im Jugendclub hören konnte:

"Was denn, habt ihr es nicht gehört? Es kam gerade im Radio. In Berlin haben sie die Mauer aufgemacht!"

---

der Sekt, eine Art Wein, wie Champagner, aber billiger
Rotkäppchen, hier: ein Sekt aus Ostdeutschland
der Korken, Wein- und Sektflaschen werden mit einem Korken verschlossen.
brüllen, laut rufen, schreien

2. Familiengeschichten

Die Mauer aufgemacht - das war so, als ob jemand heute sagen würde: He, Leute! Die Banken verteilen das Geld an die Menschen auf der Straße! So unwahrscheinlich, meine ich. Zuerst wollte es niemand glauben. Doch dann machte irgendjemand ein Radio an und wir konnten es selbst hören. Maik hatte noch ein paar Flaschen "Rotkäppchen" besorgt. Wir tranken Sekt und hörten im Radio, wie die Menschen in West-Berlin die ersten Trabis aus dem Osten mit Sekt begrüßten. Plötzlich sagte Maik:

"He, worauf warten wir? Wer kommt mit?"

"Wohin?" fragte ich.

"Wohin? Du kannst fragen! Nach Berlin! Und dann durch die Mauer in den *goldenen* Westen! Mannomann, das gibt ein Fest!"

"Wie willst du nach Berlin kommen? Jetzt, mitten in der Nacht?" fragte Biene. Ihre Augen leuchteten.

"Mit dem Auto von meinem Bruder", antwortete Maik. "Der ist bei der *Volksarmee.* Der kann nicht weg. Aber in den Trabi passen gut fünf von uns rein. Also, wie ist es? Olli, komm, wir holen die *Kiste.*"

Manchmal hatten Maik und ich das Auto von Maiks älterem Bruder genommen und waren damit ein bisschen durch den Wald gefahren. Maiks Bruder wusste nichts davon, "aber er hat bestimmt nichts dagegen", sagte Maik immer. Maik konnte ganz gut fahren, aber er

---

golden, aus Gold
die Volksarmee, die Armee der DDR. Eine Armee besteht aus Soldaten.
die Kiste[*], hier: das Auto

war erst 16, er hatte keinen *Führerschein*, es waren über 300 Kilometer nach Berlin, es war Nacht, und er hatte etwas zu viel Sekt getrunken.

"Also, ehrlich gesagt, Maik, ich weiß nicht, ob das eine so gute Idee ist ...", sagte ich.

"Ehrlich gesagt, ehrlich gesagt! Ehrlich gesagt, Olli - du hast einfach Angst. Und ehrlich gesagt - ich weiß, dass es eine *geniale* Idee ist!" rief Maik. "Dann bleib du nur hier, Olli. Wer kommt mit?"

Fünf oder sechs Leute riefen sofort: "Ich!" und liefen mit Maik zur Tür. Unter ihnen war auch Biene. Ich wollte nicht, dass sie geht. Nicht in der Nacht. Nicht mit fünf *beschwipsten* Leuten in einem Trabi auf der Autobahn. Nicht mit Maik. Er war mein bester Freund, aber...

"Biene!" rief ich. "Bleib hier!"

Biene drehte sich an der Tür um.

"Hör mal, Olli, du weißt: 'Wer zu spät kommt, den bestraft das Leben!' Wer sagt mir, dass die Mauer auch noch morgen offen bleibt? Ich will nicht warten, bis es zu spät ist. Mach dir keine Sorgen. Du weißt, wohin ich will." Sie lächelte kurz. "Besuch mich mal im Westen, ja?" Dann verschwand sie.

Ja, ich wusste, wohin Biene wollte. Sie hatte oft mit mir darüber gesprochen. Ihr Vater war ein ziemlich *hohes Tier* in der *Partei* gewesen. Er durfte auch ins "kapitalisti-

---

der Führerschein, ohne Führerschein darf man nicht Auto fahren.
genial, sehr intelligent, hier[*]: sehr gut, super
beschwipst[*], wenn man etwas zu viel getrunken hat, ist man beschwipst – leicht betrunken
das hohe Tier[*], eine wichtige Person
die Partei, hier: die Kommunistische Partei (SED)

sche Ausland" reisen, wie die westlichen Länder damals genannt wurden. Und von einer dieser Reisen war er nicht zurückgekehrt. Er war im Westen geblieben. Keinem Menschen hatte er etwas von seinem Plan erzählt - auch nicht seiner Frau. Auch nicht Biene. Und dann hatte es nur einen Brief von ihm gegeben. Sonst nichts. Das war schon drei Jahre her. Und ich wusste, dass Biene seit drei Jahren davon träumte, zu ihm zu fahren. Mit ihrer Mutter hat sie sich nie gut verstanden. Aber den Vater liebte sie - obwohl er immer auf Reisen gewesen war und obwohl er sie allein gelassen hat.

Tja, das hatte ich bei meinem Traum - mit der "Schwalbe", wisst ihr, und mit Biene und Olli und der Ostsee - immer vergessen. Ich wollte nicht daran denken, dass Biene einmal nicht da sein könnte. Sie gehörte zu meinem Leben, zu dieser hässlichen Kleinstadt Hohenroda mit ihren kleinen, braunen Häusern, den rauchenden *Schornsteinen* der Glasfabrik, den Zügen, die zu jeder Tages- und Nachtzeit über die Gleise rollten, der großen *Kaserne* mit den russischen Soldaten und der alten Kirche mit dem großen *Storchennest*. Jedes Jahr zieht dasselbe Storchenpaar seine Jungen in diesem unordentlichen Nest auf. Jedes Jahr im Oktober fliegen die Störche wieder weg - weit weg, in den Süden, ins kapitalistische Ausland, über das Meer nach Afrika. Viel weiter, als wir jemals durften. Und jedes Jahr im April kehren sie zurück.

---

der Schornstein, der Rauch von einem Ofen geht durch den Schornstein.
die Kaserne, Soldaten wohnen in einer Kaserne.
der Storch, ein großer, schwarz-weißer Vogel mit langen, roten Beinen und einem langen, roten Schnabel
das Nest, Vögel bauen Nester aus Gras, Stroh, Zweigen usw.

Unsere Familie ist schon lange in Hohenroda. Meine Großmutter - also die Mutter meiner Mutter - hatte hier einen Laden. Das war vor dem Krieg. Nach dem Krieg ging sie in den Westen, aber meine Mutter blieb hier, bei meinem Vater. 1986 starb die Großmutter, und meine Mutter durfte zur *Beerdigung* nach Hamburg. Als sie zurückkam, sagte die Mutter: "Nie wieder Westen! Niemand hat dort drüben Zeit. Alles muss schnell gehen. Sogar der *Pfarrer* hat bei der Beerdigung immer wieder auf die Uhr gesehen!"

Mein Vater ist Arbeiter und Sohn eines Arbeiters. Mein Vater und mein Großvater waren stolz darauf, Arbeiter zu sein, und sie waren stolz darauf, Kommunisten zu sein. Sie waren aber keine "Hundertfünfzigprozentigen" wie der Direktor Schmodrau oder unser *Bürgermeister* Werkmund. Im Gegenteil. Mein Vater hat immer den Mund aufgemacht, wenn ihm etwas nicht passte. Und das war gar nicht so selten. Wenn die Menschen in Hohenroda Probleme oder Ärger hatten, kamen sie oft zu uns in die Küche und erzählten davon. Und dann ging mein Vater hin zum Bürgermeister Werkmund und schimpfte und schlug auf den Tisch, wenn es sein musste:

"Warum macht der 'Konsum'-Laden nicht früher auf, so dass die Frauen auf dem Weg zur Arbeit einkaufen können?"

"Müssen die russischen *Panzer* immer mitten durch die Stadt fahren? Die Straße ist ganz kaputt davon, und

---

die Beerdigung, tote Menschen werden begraben, beerdigt.
der Pfarrer, ein Pastor
der Bürgermeister, der Chef der Verwaltung in einer Stadt
der Panzer, eine Waffe; eine große Kanone auf Rädern

der alte *Genosse* Meyer fällt vor Schreck immer fast aus dem Bett! Sie könnten doch den längeren Weg um die Stadt herum nehmen."

"Warum bekommt *Genossin* Schmidt keine größere Wohnung? Sie hat drei Kinder und braucht den Platz!"

"Warum bekommt Genossin Starneck eine schlechtere Arbeit, bloß weil Genosse Starneck in den Westen gegangen ist? Was kann sie denn dafür? Warum kann Genosse Schmodrau nicht netter mit der Sabine reden? Erst verliert sie den Vater, und jetzt wird sie auch noch in der Schule schlecht behandelt. Will Genosse Schmodrau vielleicht, dass die Sabine auch weggeht?"

Bürgermeister Werkmund mochte meinen Vater nicht. Aber Werkmund konnte nichts gegen meinen Vater machen, weil er einer der besten Arbeiter in der Glasfabrik war.

Der Großvater - also der Vater meines Vaters - war 1961 dabei, als in Berlin die Mauer gebaut wurde. Das war natürlich lange vor meiner Geburt. Er war Soldat, und er musste aufpassen, dass keiner der Arbeiter, die diese Mauer bauten, in den Westen ging. Er hat geweint, sagte Großvater immer, als die Mauer immer höher wurde, aber er hat trotzdem mitgemacht: "Die Partei hat immer Recht, weißt du. So habe ich damals gedacht."

Ich hatte mir eigentlich nie Gedanken über die Mauer gemacht. Sie war immer da gewesen. Sie war eine Tatsache, ein Stück Geographie, wie die Elbe. An der Mauer war die Welt - meine Welt - zu Ende. Und jetzt war plötzlich ein großes Loch in der Mauer. Auf einmal war die Welt so weit. Ein bisschen Angst hatte ich, ehrlich gesagt.

Genosse, Genossin, Kamerad, Kameradin. So hieß es oft in der DDR: nicht Herr X, Frau Y, sondern Genosse X, Genossin Y.

3. “Ich wünsche eine fröhliche Wiedervereinigung”

Ob ihr’s glaubt oder nicht: Als die *Wiedervereinigung* kam, elf Monate später, waren meine Eltern und ich immer noch nicht im Westen gewesen - fast als die Einzigen aus Hohenroda, außer den “*Asozialen*”, um die sich sowieso niemand kümmerte, und den Alten, die zu schwach waren, um alleine irgendwohin zu gehen, und die niemand mitnahm, weil die Leute aus Hohenroda Platz in ihren Autos brauchten für das ganze Zeug, das sie aus den Warenhäusern und Supermärkten von West-Berlin nach Hause zurückschleppten.

Und nun sollten wir alle Teil des “Westens” werden. Neues Geld hatten wir schon - schwere *Münzen* und frische Scheine mit “Deutsche Mark” darauf. Manche Menschen hatten auch schon neue Autos. Jetzt sollten wir neue *Ausweise* und Pässe bekommen, eine neue Fahne, eine neue Regierung. Das musste gefeiert werden.

Aber wer sollte die Feier organisieren? Bürgermeister Werkmund war verschwunden. Wie immer, wenn sie ein Problem hatten, kamen die Menschen zu meinem Vater: “Mach du das, ja?”

“Ich? Warum ich? Ich war immer für die DDR, das wisst ihr doch. Jetzt geht die DDR kaputt. Ja, das ist vielleicht richtig so, hier war vieles nicht in Ordnung, aber ob man das feiern soll, ich weiß nicht ...”

---

die Wiedervereinigung, am 3. Oktober 1990 wurden Ost- und Westdeutschland wieder ein Land
Asoziale, so wurden in der DDR manchmal Menschen genannt, die nicht arbeiten wollten, Trinker usw.
die Münze, ein Geldstück aus Metall
der Ausweis, ein Dokument mit einem Foto, dem Namen, dem Geburtsdatum, der Adresse

"Du kannst organisieren. Und eine Rede kannst du auch halten. Wie sieht das aus, wenn es bei uns in Hohenroda keine Feier gibt?"

Also gab es am 3. Oktober 1990 in Hohenroda eine Feier, wie überall in Deutschland, und mein Vater hat die Feier in der *Aula* unserer Schule organisiert. Meine Mutter kochte zusammen mit den Frauen von der Eisenbahnerkantine Suppe und Würstchen und machte Brote mit Wurst und Käse. Die Heavy-Metal-Gruppe "*Scherbenhaufen*" vom Jugendclub der Glasfabrik probte jeden Abend, ebenso die *Blaskapelle* der Eisenbahner, "Harmonia 1902". Jemand von der *Feuerwehr* besorgte *Feuerwerk.* Und wir vom Jugendclub schmückten am Nachmittag die Aula mit schwarz-rot-goldenen Fahnen und bunten Luftballons von "Woolworth".

Allerdings waren nicht alle vom Jugendclub dabei. Die beiden Menschen, die mir am wichtigsten waren, fehlten: Maik und Biene. Biene hatte mir aus einer kleinen Stadt in Bayern geschrieben, wo sie jetzt bei ihrem Vater wohnte und zur Schule ging. "Es geht mir gut", schrieb sie. "Besuch mich mal." Maik hatte sich seit dem Abend im Jugendclub nicht gemeldet. Aber manche Leute sagten, er sei in Berlin bei einer Gruppe Skinheads gelandet. Ehrlich gesagt, wusste ich damals nicht

---

die Aula, Versammlungshalle, Auditorium einer Schule
der Scherbenhaufen, wenn Glas kaputt geht, gibt es Scherben; wenn viel Glas kaputt geht, sogar einen Scherbenhaufen.
die Blaskapelle, in einer Blaskapelle spielen Trompete, Posaune, Tuba und ähnliche Instrumente. Blaskapellen spielen meistens Marsch- und Tanzmusik.
die Feuerwehr ruft man, wenn es brennt.
das Feuerwerk, Raketen usw.; Feuerwerk gibt es in Deutschland immer am 31. Dezember um Mitternacht.

so genau, was Skinheads sind.

Das sollte sich aber bald ändern. Denn am späten Nachmittag gab es einen Lärm auf der Straße, fast so schlimm wie die russischen Panzer, und zwanzig oder mehr Skinheads fuhren mit zehn oder zwölf Motorrädern in die Stadt und stiegen vor der einzigen *Kneipe* in Hohenroda von den schweren Maschinen ab. Unter ihnen war Maik. Ich erkannte ihn nicht sofort mit seiner *Glatze*, aber er winkte mir zu und rief:

"He, Olli! Komm her, trink mal ein Bierchen mit mir. He, Jungs, hört mal her", sagte er zu den anderen Skinheads, die sich aus der Kneipe Bierflaschen geholt hatten und es sich draußen in der Herbstsonne bequem machten, "das hier ist der Olli, mein alter Freund Olli." Und er drückte mir eine Bierflasche in die Hand. "Prost, Olli! Wir sind ein Volk! Deutschland, Deutschland über alles!"

"Also, ehrlich gesagt, Maik ..."

"Ehrlich gesagt, ehrlich gesagt! Ehrlich gesagt, Olli, wer nicht auf Deutschland trinken will, ist ein Kommunistenschwein, stimmt's? Also, Olli: Trink!"

Ich trank.

Am Abend ging ich mit meinen Eltern zur Feier. Wie die meisten Menschen in Hohenroda hatte sich mein Vater fein gemacht, wie zum 1. Mai: Anzug, weißes Hemd, Krawatte. Er war etwas nervös wegen der Rede, die er halten sollte. Meine Mutter war müde wegen der vielen Brote, die sie gemacht hatte. Ich war etwas beschwipst wegen der zwei Flaschen Bier, die ich mit Maik getrunken hatte. Am Eingang der Aula begrüßte uns der neue Direktor der

---

die Kneipe[*], ein Gasthaus; man trinkt dort Bier, Schnaps usw.
die Glatze, wenn jemand keine Haare hat, hat er eine Glatze.

Schule, ein junger Mann mit einem breiten Lächeln. Den alten Schmodrau hatten sie *entlassen*. Er war ja ein "Hundertfünfzigprozentiger" gewesen, eine "rote Socke" wie Bürgermeister Werkmund. Und für solche Leute war kein Platz mehr. Den neuen Direktor hatten sie uns aus Dresden geschickt. Einen neuen Bürgermeister gab es noch nicht. "Ich wünsche eine fröhliche Wiedervereinigung", sagte der Direktor und brachte uns an unseren Tisch, ganz vorne an der *Bühne*.

Es ging auf Mitternacht zu. Die Menschen aßen Suppe und Würstchen, tranken Bier oder Sekt, redeten, lachten, sahen immer wieder auf die Uhr. Die Gruppe "Scherbenhaufen" spielten Heavy Metal, und einige Jungen aus dem Jugendclub und einige von Maiks Freunden aus Berlin sprangen auf der Tanzfläche herum. Die Blaskapelle "Harmonia 1902" spielte alte Tanzmusik, und einige ältere Ehepaare tanzten Walzer und Tango und Foxtrott. Es gab Discomusik vom Band, und einige Mädchen tanzten, und die Jungen sahen zu. Und die Leute aßen Brote mit Wurst und Käse und tranken noch mehr Bier oder Sekt und sahen wieder auf die Uhr. In kurzer Zeit würde die DDR nur noch Geschichte sein.

Kurz vor Mitternacht stand mein Vater auf und ging auf die Bühne. Er hatte auch etwas zu viel getrunken, glaube ich. Als er zum *Rednerpult* ging, *schwankte* er ein wenig. Die Discomusik wurde ausgemacht, die Mädchen

---

entlassen, wenn eine Fabrik schließt, werden die Arbeiter entlassen.
die Bühne, in einem Theater, einem Auditorium, einer Aula usw. der Platz, auf dem gespielt, gesungen oder gesprochen wird
das Rednerpult, wenn jemand eine Rede hält, steht er meistens an einem Rednerpult.
schwanken, sich hin und her bewegen wie ein Schiff; hier: unsicher gehen

gingen auf ihre Plätze, und mein Vater nahm seine Notizen aus der Tasche.

"Genossen und Genossinnen!" begann er. So hatte man vierzig Jahre lang immer angefangen. So hatte er immer angefangen, wenn er in der Glasfabrik oder in unserer Küche zu den Arbeitern sprach. Das war aber jetzt ein Fehler. Genossen und Genossinnen gab es nicht mehr. Einige Leute lachten leise, und Maik rief laut: "Genosse Bauer, wir sind keine Genossen mehr!" Darauf lachten einige Menschen etwas lauter, darunter auch der neue Direktor. Mein Vater sah auf seine Notizen.

"Ja, also, jetzt ist es vorbei mit der DDR ..." begann er. Schon wurde er vom *Beifall* unterbrochen. Mein Vater wurde immer nervöser. "Ihr wisst ja, Genossen, ... äh, ich meine, äh, meine Damen und Herren ..." Hier mussten viele wieder lachen, andere pfiffen. Mein Vater verstand nicht, was er falsch machte. "Ihr wisst ja, dass ich nicht immer alles richtig fand, was hier bei uns passiert ist." Beifall. "Aber, Genossen - ich meine, meine Damen und Herren, wer weiß, ob es uns im neuen Deutschland wirklich besser gehen wird? Ich meine ..." Jetzt riefen einige "Buh!" Andere pfiffen. "Ich meine, wir müssen alle zusammenhalten in der nächsten Zeit!" rief mein Vater durch dem Lärm. "Sonst werden wir vielleicht zu *Bürgern* zweiter Klasse! Und ..." Aber er konnte nicht weitersprechen. Die Buh-Rufe wurden immer lauter. Maiks Skinheads brüllten: "Wir sind ein Volk!" Andere Menschen

---

der Beifall, wenn den Zuhörern oder Zuschauern etwas gefällt, klatschen sie Beifall.

der Bürger, die Bürgerin, die Menschen, die in einem Land leben

klopften mit ihren Bierflaschen auf den Tisch. Sie wollten feiern. Sie wollten an eine schöne Zukunft glauben. Sie wollten nicht an früher denken, und sie wollten keine Warnungen hören.

Der Schuldirektor kam auf die Bühne und hob die Hände. Alle wurden leise, wie Kinder in einer unruhigen Schulklasse, wenn ein strenger Lehrer hereinkommt.

"Meine Damen und Herren, liebe Mitbürgerinnen und Mitbürger!" rief er. "Es ist fast schon Mitternacht. Trinken wir auf die Wiedervereinigung Deutschlands! Singen wir gemeinsam unsere *Nationalhymne*!" Er gab der Eisenbahnerkapelle einen Wink und fing an zu singen: "Einigkeit und Recht und Freiheit für das deutsche Vaterland..." Einige Leute sangen mit ihm, aber die meisten kannten den Text noch nicht. Maik und seine Freunde waren aber auf die Beine gesprungen und sangen im Chor, lauter als der Direktor, lauter als alle anderen: "Deutschland, Deutschland, über alles..." Mit rotem Kopf rannte mein Vater aus der Aula. Meine Mutter und ich liefen ihm nach. Als wir draußen in der kühlen Herbstluft standen, *explodierten* die ersten bunten Feuerwerksraketen mit einem großen *Knall* in dem dunklen Himmel über Deutschland.

---

die Nationalhymne, in Großbritannien "God Save the Queen", in Frankreich die "Marseillaise" usw.
explodieren, eine Bombe explodiert.
der Knall, ein lautes Geräusch wie ein Schuss, eine Explosion usw.

4. Die Rückkehr des verlorenen Sohnes (I)

Ich kehre nach Hohenroda zurück. Wie lange bin ich nicht mehr zu Hause gewesen? Nur ein Jahr. Aber mir scheint es viel länger als nur ein Jahr, weil ich in einer anderen Welt gewesen bin. Im Westen. Jetzt fällt mir auf, dass die Hauptstraße voller Löcher ist. Wie dreckig der Bahnhof aussieht! Jetzt finde ich es hässlich, dass alle Häuser den gleichen braunen *Putz* haben. Ich finde es unangenehm, dass die Luft nach der *Braunkohle* riecht, mit der die Menschen hier ihre Wohnungen heizen.

Links neben dem Bahnhof ist die Glasfabrik. Früher war da immer viel Lärm, jetzt ist die Fabrik ganz still, obwohl es ein Wochentag ist. Niemand will Glas aus Hohenroda haben. Zu teuer, nicht gut genug, was weiß ich. Die meisten Arbeiter sitzen jetzt zu Hause und wissen nicht, was sie tun sollen. Ich gehe die Straße entlang, die aus der Stadt herausführt. Rechts ist die *Siedlung*, wo unser kleines Haus liegt. Brauner Putz, Schornstein, gelblicher Rauch, der Geruch von Braunkohle in der Luft. Links sind die russischen Kasernen. Auch hier ist alles still, stiller noch als an einem Sonntag. Denn die Russen sind weg, nach Hause, und die Kasernen sind leer. Hier arbeitet mein Vater. Er hat einen Job bei einem Wachdienst bekommen - das ist so eine Art private Polizei, wisst ihr, mit Uniform, aber ohne Waffen -

---

der Putz, auf die Mauer eines Hauses kommt glatter, oft farbiger Putz
die Braunkohle, Heizmaterial, Brennstoff; die Braunkohle gibt nicht so viel Energie wie die schwarze Steinkohle
die Siedlung, hier: eine Gruppe von Wohnhäusern, meistens etwas außerhalb einer Stadt

und soll die Kasernen bewachen. Viel gibt es aber nicht mehr zu bewachen. Alles haben die Soldaten mit nach Hause genommen - Elektroherde, Badewannen, Spiegel, Schränke. Nur einige alte Panzer und Lastwagen haben sie hier gelassen. Und dann sind junge Leute aus Hohenroda gekommen und haben die Fenster eingeworfen, und jetzt wohnen *Ratten* und wilde Hunde und Katzen und *Füchse* und *Eulen* dort, wo früher die Soldaten wohnten.

"Na ja, was willst du? Es ist doch wenigstens Arbeit", sagte mein Vater am Telefon, als er mir von seinem neuen Job erzählte. "Und da kann man froh sein, überhaupt etwas zu haben. In meinem Alter." Er ist erst siebenunddreißig, aber er spricht schon wie ein alter Mann. Die Arbeit ist leicht, es gibt eigentlich nichts zu tun. Nachts ist es aber unheimlich, sagt er. Da sitzt er allein in seinem Wachhäuschen und hört überall *Geräusche*. Man sagt, dass es Nazi-Gruppen und andere Verrückte gibt, die auf dem Kasernengelände nach Waffen suchen, die von den Soldaten zurückgelassen wurden. Und es soll Leute von der Mafia und andere Verbrecher geben, die sich nachts dort treffen. Und da sitzt mein Vater allein in seinem Häuschen und hat Angst und trinkt *Schnaps* gegen die Kälte und die Angst.

Jetzt ist es Mittag, und Vater ist allein in unserem Haus und steht am Herd und kocht sich seinen Frühstückskaffee. Die Mutter ist mit dem Wagen nach Dres-

---

die Ratte, ein Tier wie eine große Maus
der Fuchs, ein wildes Tier mit rotem Fell und buschigem Schwanz
die Eule, (der Uhu), ein Nachtvogel
das Geräusch, mit den Ohren hören wir Geräusche; alles, was sich bewegt, macht ein Geräusch.
der Schnaps, ein starkes alkoholisches Getränk

den gefahren, um für den Laden einzukaufen. Ja, auch bei ihr hat sich viel geändert!

"Sie machen den Bahnhof bald zu", schrieb sie mir. "Und dann werden wir alle entlassen. Aber so lange warte ich nicht. Ich gehe von alleine. Und weißt du, was ich mache? Ich mache bei uns im Haus einen kleinen Laden mit Waren, die man täglich braucht: Kaffee, Tee, Zucker, Brot, Butter, Milch, Eier, Käse, Wurst, Bier. 'Waren des täglichen Bedarfs', wie man so sagt. Den 'Konsum' haben sie auch geschlossen, und nicht jeder kann nach Dresden fahren zum Einkauf."

So war meine Mutter schon immer, wisst ihr. Immer voller Ideen. Sie machte schnell den Führerschein, besorgte sich einen alten *Lieferwagen* Marke "*Barkass*", der früher der Glasfabrik gehörte und den jetzt niemand haben wollte, und fuhr zweimal die Woche zum neuen Großmarkt nach Dresden, um Waren des täglichen Bedarfs einzukaufen. Und der Laden lief. Er lief wirklich gut. Natürlich wurde es etwas eng in unserem Häuschen, aber ich war ja weg, im Westen, und so hatten Mutter und Vater etwas mehr Platz. Aber jetzt war ich wieder da. Zurück aus dem goldenen Westen.

"Es wird ein bisschen eng", sagte mein Vater. "Aber nachts bin ich meistens nicht da, und tagsüber kannst du der Mutter im Laden helfen, bis du Arbeit findest. Sag mal, Junge, was ist denn schief gegangen dort im Westen?"

---

der Lieferwagen, ein kleiner Lastkraftwagen
der "Barkass", ein Lieferwagen, der in der DDR gebaut wurde

5. Goldener Westen

Ja, was ist schief gegangen? Ehrlich gesagt, fast alles.

Es fing ganz gut an. Zwei oder drei Tage nach der Wiedervereinigung kam ein Brief von Biene aus Bayern: "Olli, du wolltest doch immer Koch werden. Hier sucht der Wirt vom '*Ratskeller*' einen Lehrling. Bestimmt kannst du dort viel lernen, mehr als bei euch in Hohenroda. Mein Vater kennt den Wirt gut, er spricht mit ihm, und du kannst die Lehrstelle haben, wenn du willst..."

Und ob ich wollte! In einem richtigen Restaurant lernen, nicht in einer Kantine - das wäre bestimmt super! Und im Westen, wo die Leute mehr Geld haben und darum besser essen und wo die Köche deshalb besser kochen müssen! Und da war auch noch Biene. Also packte ich meine Sachen - viel hatte ich nicht, es passte alles in eine Sporttasche - und stieg in den Zug. Und tschüss.

Protzau, so hieß die Stadt, wo Biene wohnte, und die jetzt auch meine Heimat werden sollte. Es war eine lange Reise. Von Hohenroda nach Dresden, in Dresden umsteigen nach Leipzig, in Leipzig umsteigen nach Nürnberg, in Nürnberg umsteigen in den Bus nach Protzau. Ich war fast den ganzen Tag unterwegs. Am späten Nachmittag stieg ich mit meiner Sporttasche am Marktplatz von Protzau aus dem Bus. Protzau war ungefähr so groß wie Hohenroda. Aber hier war nichts kaputt oder dreckig oder braun. Die alten Häuser am Marktplatz hatten alle neuen, bunten Putz - blau, grün, gelb, rosa - wie *Puppenhäuser*. Die Straßen waren alle wie

---

der Ratskeller, ein Restaurant im Keller des Ratshauses
das Puppenhaus, kleine Mädchen spielen mit Puppen (z.B. "Barbie"); Puppen wohnen in einem Puppenhaus.

neu und wurden jeden Tag sauber gemacht. Überall gab es schöne Läden mit teueren Waren aus aller Welt und Menschen mit Geld, die in diesen Läden einkauften. Es war wie ... wie im Fernsehen. Ich sah mir das alles mit offenem Mund an. Ich hatte meine besten Sachen angezogen, meine Jeans-Jacke, meine neue Jeans und die neuen Turnschuhe, aber hier kam ich mir vor wie ein *Bettler*. Mit dem ersten Geld, sagte ich mir, kaufst du neue *Klamotten*. So wie du jetzt aussiehst, muss sich Biene schämen, wenn sie mit dir ausgeht.

Viel Geld gab es aber nicht. Und es war nicht leicht zu verdienen, das kann ich euch sagen. Fast jeden Tag musste ich bis Mitternacht in der Küche arbeiten, auch wenn ich am nächsten Morgen um acht in der *Berufsschule* sein musste. Was aber noch schlimmer war: Ich habe kaum etwas gelernt. Meistens kamen nur fertige Gerichte auf den Teller. Gemüse und Suppen aus der Dose. *Tiefgefrorene* Pommes frites, Steaks und Fisch. Plastikwürste und Pizza aus der Packung. Meistens musste ich schwere oder dumme Arbeiten machen: den Herd sauber machen, dreckige Töpfe und Teller abwaschen, Dosen und Packungen in die Küche bringen, aufmachen, tiefgefrorene Pommes frites in die *Fritteuse* tun, fertige Pizzas in die Mikrowelle schieben, Kartoffeln

---

der Bettler, ein armer Mensch, der andere Menschen um Geld bittet

die Klamotten[*], Sachen zum Anziehen

die Berufsschule, in Deutschland muss jeder Lehrling auch zur Berufsschule gehen.

Tiefgefrorene Speisen und Gerichte muss man immer sehr kalt halten; sie sind einfach zu kochen – man muss sie nur warm machen

die Fritteuse, Kochmaschine mit heißem Fett für Pommes frites

schälen, Salat waschen... Nach einigen Wochen beschwerte ich mich beim Wirt des 'Ratskellers', Herrn Wamshüter.

Herr Wamshüter sah mich an, als hätte ich ihm Geld gestohlen oder so etwas. "Ja, gibt's denn das? Ja, so sind sie, die Ossis. Verdienen wollen sie wie die Westdeutschen, soziale Sicherheit haben wie in Schweden, aber arbeiten wie in der DDR!" Wir standen in der Küche, und Herr Wamshüter sprach laut, damit es alle hören konnten - der Koch, die Hilfsköche, die Kellnerinnen und die Putzfrau. Wenn Herr Wamshüter nicht da war, beschwerten sich alle laut über die schwere Arbeit und die langen Stunden. Aber jetzt sagten sie nichts, sondern lachten mit Herrn Wamshüter über mich. "Verdienen wie die Westdeutschen, soziale Sicherheit wie in Schweden, arbeiten wie in der DDR" - ja, das ist gut. Ja, wenn es gegen den Ossi geht, da sind sie alle einer Meinung: Der ist faul, der soll froh sein, dass er hier arbeiten darf, der kann ja gehen, wenn's ihm nicht passt. Na, dachte ich mir, da gibt es nur eins - die Zähne zusammenbeißen, noch härter arbeiten und ihnen allen zeigen, dass wir Ossis auch arbeiten können, dass ihr dummes *Vorurteil* nicht stimmt.

Ich hatte ein kleines Zimmer unterm Dach des schönen alten Hauses am Marktplatz, wo Herr Wamshüter mit seiner Frau wohnte. Die Miete haben sie mir jeden Monat gleich vom Lohn abgezogen. Als ich mich am ersten Tag mit meiner Sporttasche Frau Wamshüter vor-

---

schälen, vor dem Kochen werden Kartoffeln, Karotten usw. meistens mit einem Messer geschält
das Vorurteil, ein Urteil ohne Wissen, eine Meinung ohne Kenntnisse

stellte, sagte sie:

"Dass du mir keine Mädchen hier heraufbringst, verstehst du? Das hier ist ein sauberes Haus."

Für Mädchen hatte ich sowieso keine Zeit. Es gab Discos und Kinos in Protzau, und hübsche Mädchen gab es auch, aber nach der Arbeit war ich zu müde für Disco oder Kino. Und Mädchen? Gleich an meinem ersten Tag in Protzau hatte ich natürlich Biene besucht. Sie wohnte mit ihrem Vater und seiner neuen Frau in einem schönen, weißen Haus in einer Siedlung mit vielen schönen, weißen Häusern, und vor jedem Haus stand ein schönes, neues Auto. Der Vater war wieder ein hohes Tier in irgendeiner Partei geworden und war wieder auf Reisen, im Osten, weil er sich dort auskannte. Seine neue Frau war zum "Fitnesstraining" mit dem Zweitauto nach Nürnberg gefahren. Sabine und ich saßen im Wohnzimmer mit den teueren Möbeln und erzählten uns Geschichten aus der alten Zeit:

"Weißt du noch, wie wir den alten Modrau im Politunterricht geärgert haben?"

"Nü! Und wie wir fast jeden Abend im Jugendclub gefeiert haben?"

"Nü! Und wie der Maik einmal eine halbe Flasche Schnaps getrunken hat und mit dem Trabi seines Bruders in den Kuhstall der *LPG* gefahren ist?"

"Nü..."

Aber nach einer Weile schwiegen wir. Die alte Zeit war vorbei. Biene war nicht mehr meine alte Biene aus Hohenroda. Sie ging auf das *Gymnasium*. Sie wollte spä-

---

die LPG (landwirtschaftliche Produktionsgenossenschaft), Großfarm in der DDR

das Gymnasium, Oberschule für Schüler, die später studieren wollen

en hinterher. "He, Sabine, ich habe etwas für dich
deinem Koch - eine echte sächsische Bratwurst -
r sagt man in Sachsen 'Pratwurst'?" Wieder lachte
ganze Clique, und ich hörte, wie Bastian rief: "Oh
Pratwurst! Ja, pitte, pitte! Und Pier! Pitte, pitte etwas
!"

lein Gesicht war feuerrot. Ich stand da und sah der
igen Gruppe nach. Plötzlich brüllte Herr Wamshüter:
Himmelherrgottnochmal, Olli! Die Würste! Sie bren-
an. Pass doch auf! Mannomann, diese Ossis! Geld
en sie wie die Westdeutschen, aber arbeiten ..."

, Arbeit hatte ich genug. Den ganzen Nachmittag
Abend stand ich hinter dem Grill. Und die ganze
musste ich daran denken, wie Bastian den Arm um
e gelegt hatte. Wie er sie geküsst hatte. Ich wollte
nicht daran denken, wo sie jetzt waren und was sie
taten. Aber als es schon spät war und kühl wurde,
noch wenige Menschen auf dem Marktplatz waren
wir den Grill ausgemacht hatten und die Tische
er machten, war Biene plötzlich wieder da.
omm", sagte sie, "lass uns ein bisschen spazieren
n und miteinander reden, wie früher."
h nahm die dumme Kochmütze ab, zog meinen
n *Kittel* aus, nahm Biene an der Hand, und wir
erten durch die dunkle Altstadt. Biene redete, und
örte zu. Ich war hundemüde, und ich roch nach
urst, es war spät und kalt, kein Mond stand am
mel - aber so glücklich wie in diesem Augenblick

mmelherrgottnochmal[*], ein Schimpfwort
Kittel, man trägt beim Kochen einen Kittel, damit die Klei-
ng nicht dreckig wird.

ter Medizin studieren. Sie hatte Freundinnen und Freunde an der Schule - Jungen und Mädchen aus der Siedlung mit den schönen Häusern und den neuen Autos. Und ich? Ich war nur Koch. Nein, nicht einmal ein richtiger Koch, sondern nur ein Lehrling. Ich war immer noch Olli aus Hohenroda - Olli aus Ossiland. Ich passte nicht in ihre *Clique*. Ich passte nicht in ihr neues Leben.

Nach diesem ersten Abend haben wir uns nur einmal oder zweimal getroffen. Manchmal sah ich sie vom Fenster meines kleinen Dachzimmers aus, wenn sie mit Freundinnen oder Freunden über den Marktplatz ging. Und manchmal sah sie zu meinem Fenster herauf, jedenfalls sah es so aus. Aber vielleicht stimmte es gar nicht.

Ich hatte mir neue Klamotten gekauft. Aber wozu? Ich ging doch nie aus. Ich hatte sogar etwas Geld gespart - für die "Schwalbe", wisst ihr, oder vielleicht doch für eine Kawasaki oder einen BMW. Aber wohin sollte ich fahren, wenn ich die Maschine kaufte? Und mit wem? Ich fühlte mich sehr allein in dieser schönen, sauberen Stadt. Ich hatte *Heimweh* nach Hohenroda.

die Clique, eine Gruppe von Freunden
das Heimweh, wenn man weit weg ist und seine Heimat und Freunde wiedersehen will, hat man Heimweh

6. Biene, I love you

Jeden Sommer gab es in Protzau "Kirchweih". Das ist ein Fest mit Bier und Blasmusik und Bratwürsten und *Brezeln.* Die ganze Stadt, so scheint es, ist an diesen langen Sommerabenden bis spät in die Nacht auf dem Marktplatz. Es wird getrunken, gegessen, getanzt und gelacht. "Kirchweih" ist ein schönes Fest. Für uns im "Ratskeller" bedeutete das Fest aber noch mehr Arbeit als sonst. Der Wirt stellte Tische und Stühle vor die Tür, es gab frisches Bier aus einem großen *Fass* und Nürnberger Bratwürste vom Grill.

Einmal, es war am späten Nachmittag, stand ich am Grill, als ein paar ältere Schüler vom Gymnasium mit ihren Mädchen vorbeikamen. Die Jungen hatten schon ein oder zwei Bier getrunken. Jedenfalls waren sie ziemlich lustig, und einer von ihnen rief:

"He, Sabine, das ist doch dein kleiner *Sachse,* stimmt's? Dein Ossi. Olli aus Ossiland. Er sieht richtig gut aus mit der weißen Kochmütze. He, Ossi, sag mal was auf *Sächsisch,* ja? Komm schon, sag was!"

"Lass ihn in Ruhe, Bastian!" sagte Biene. "Was willst du von ihm? Er hat dir doch nichts getan." Sie nahm den Jungen am Arm und zog ihn weg. Er legte den Arm um sie und gab ihr einen Kuss auf die Wange, und sie gingen weiter. Die anderen Schüler lachten und gingen mit. Einer kaufte bei mir schnell eine Wurst und rannte

---

die Brezel, eine besondere Art von Brötchen
das Fass, ein großer runder Behälter aus Holz für Bier und Wein
der Sachse, ein Mensch aus Sachsen
sächsisch, aus Sachsen; der Dialekt, der in Sachsen gesprochen wird

3 Olli aus Ossiland

war ich in meinem ganzen Leben nicht gewesen.

"Weißt du, es ist auch für mich nicht leicht, dieses neue Leben", sagte Biene. "In der Schule zum Beispiel muss ich viel mehr tun als die anderen. Englisch und *Latein* muss ich ganz neu lernen. Bei uns in Hohenroda haben wir ja alle Russisch gelernt - damit kann ich auf diesem Gymnasium gar nichts anfangen. In Geschichte und Politik muss ich auch alles neu lernen. Das, was bei Schmodrau richtig war, ist hier ganz falsch, verstehst du?"

"Nü."

"Nü! Das ist auch so eine Sache. Ich will nicht mit diesem sächsischen *Akzent* sprechen. Darüber lachen die anderen Schüler nur. Na ja, du hast das heute erfahren. Ich will nicht anders sein. Ich will keine Ossi sein. Diese DDR-Klamotten zum Beispiel - weißt du, diese Stonewashed-Jeans, für die meine Mutter immer wieder nach Dresden gefahren ist, bis sie endlich ein Paar bekommen hat? So etwas hast du am Anfang auch getragen. Die Sachen habe ich gleich am zweiten Tag weggegeben. In die Altkleidersammlung. Für Afrika. Ich weiß nicht, ob die Schwarzen so etwas überhaupt tragen wollen. Hier jedenfalls geht das nicht, sonst bist du gleich wie ein Schwarzer - ein *Außenseiter*, verstehst du? Aber ich will kein Außenseiter sein. Das war schlimm genug in der DDR, bloß weil mein Vater weggegangen ist, was konnte ich denn dafür?"

Latein sprachen die Menschen im alten Rom
Der Akzent, in verschiedenen Teilen Deutschlands spricht man mit verschiedenen Akzenten, in verschiedenen Dialekten.
Der Außenseiter, jemand der nicht zu einer Gruppe oder Clique gehört, keine Freunde hat

Ich sagte nichts.

“Ich will beliebt sein, weißt du, im Mittelpunkt stehen. Ich will, dass mich alle Leute mögen.”

“Besonders Bastian”, sagte ich. Es war dumm, so etwas zu sagen, aber ich musste es sagen.

“Ach, Bastian”, sagte sie ungeduldig. “Er und die anderen Jungen, das sind richtige Dummköpfe, verstehst du, richtig *doofe* Typen. Die haben doch nur Bier und Autos und Sex im Kopf. Und sie denken, wenn sie ein Auto oder ein Motorrad haben und ein bisschen Geld in der Tasche, dann wird gleich jedes Mädchen schwach.”

Ich dachte an die “Schwalbe” und die Ostsee, sagte aber nichts.

“Die Eltern haben alle ein Haus und zu viel Geld und langweilen sich jeden Abend vor dem Fernseher. Manchmal frage ich mich, wozu diese Leute die Freiheit überhaupt brauchen!”

Wir gingen durch die dunkle Stadt. Durch Straßen, die ich nicht kannte. Ich erzählte Biene von der Arbeit. Von Herrn Wamshüter und von meinem kleinen Zimmer. Wir gingen weiter. Als wir vor Bienes Haus standen, waren nur noch wenige Sterne am Himmel. Mein Kopf war leicht. Jetzt oder nie, dachte ich.

“Biene”, sagte ich. “Biene, I love you.”

Biene sah mich an und schüttelte den Kopf.

“Olli, lass das, bitte”, sagte sie. “Ich brauche einen Freund, verstehst du? Einen Freund, der zuhört, der mich versteht und gar nichts von mir will.”

---

doof[*], dumm

"Gut", wollte ich sagen, "Gut, in Ordnung, die Hauptsache ist, ich kann in deiner Nähe sein, alles klar, kein Problem, just good friends, nastrowje, darauf trinke ich, nü?"

Aber ich stand nur da und ließ ihre Hand los, und sie verschwand ins Haus. Es war so spät, dass es schon wieder früh war. Als ich endlich am Marktplatz war, ging die Sonne auf.

7. Es geht nicht mehr

Es war schon zu spät (oder zu früh), ins Bett zu gehen. Ich ging aber nach oben in mein Zimmer, um mich zu waschen und mir ein frisches Hemd zu holen. Als ich an Frau Wamshüters Küche vorbeikam, steckte sie den Kopf heraus und sagte:

"Na, das haben wir gern! Der junge Herr bleibt die ganze Nacht weg! So etwas wollen wir nicht. Das hier ist ein sauberes Haus, hier wohnen anständige Leute!"

Ich antwortete nicht. Was sollte ich ihr sagen?

Die Arbeit fiel mir an diesem Tag besonders schwer. Ich war müde, meine Augen brannten, ich hatte Kopfschmerzen, und mir war immer kalt. Als die ersten Gäste zum Mittagessen kamen, sagte der Koch: "He, Olli, hol mir mal den Topf mit geschälten Kartoffeln aus dem Kühlraum!"

Die Kartoffeln hatten wir am Tag davor geschält, nun lagen sie in einem großen Topf im Salzwasser. Ich ging in den Kühlraum und versuchte den Topf anzuheben. Er war sehr schwer. Am Tag davor hatten zwei von uns den vollen Topf in den Kühlraum getragen. Und auch das war nicht leicht gewesen. Aber ich wollte dem Koch nicht sagen, dass der Topf zu schwer für mich war. Ich hob den Topf an und *torkelte* damit aus dem Kühlraum. Plötzlich wurde es vor meinen Augen dunkel. Mir war, als ob ich eine lange Treppe herabstürzte in ein schwarzes Loch. Es gab einen lauten, metallenen Knall, dann war alles still.

Als ich wieder zu mir kam, saß ich in einer Ecke der Küche auf dem Boden, der ganz unter Wasser stand. Im Wasser schwammen noch die gelben Kartoffeln. Neben mir *hockte* Öslem, die türkische Putzfrau, und wischte mir das Gesicht mit einem kalten Tuch ab. Wie von weit weg hörte ich Herrn Wamshüter brüllen:

"Ja, Himmelherrgottnochmal, was ist jetzt los? He, Olli, sitz nicht faul herum, mach diesen Dreck hier sauber! Ja gibt's denn sowas? Der faule Kerl bleibt die ganze Nacht weg, meine Frau macht sich Sorgen, aber er - er sagt nicht einmal 'guten Morgen', das hat der junge Herr nicht nötig. Und jetzt ist unser lieber Olli aus dem Ossiland müde und setzt mir die Küche unter Wasser. Ja, was soll ich jetzt meinen Gästen vorsetzen? Die Kartoffeln kann ich wegwerfen. Himmelherrgott ... Der junge Herr beschwert sich, dass er nichts lernt, aber nicht einmal einen Topf Kartoffeln kann er holen! Ja, so sind die Ossis. Geld verdienen wollen sie wie die Westdeutschen, soziale Sicherheit haben wie in Schweden, aber arbeiten ..."

Ich versuchte aufzustehen. Es ging nicht.

"Lass dir das nicht gefallen", *flüsterte* mir Öslem ins

---

torkeln, schwanken, wie ein Betrunkener gehen

hocken, die Frau saß nicht (der Boden war nass), hatte sich aber klein gemacht.

flüstern, ganz leise sprechen

Janker

Ohr. “Der ist ja verrückt!”

Ich stand auf. Mir war, als ob die Küche schwankte, und ich musste mich zuerst an Öslem festhalten. Aber dann konnte ich ein paar Schritte gehen.

“Ja, was ist jetzt los?” rief Wamshüter. “Wo willst du denn hin, Himmelherrgottnochmal?”

“Nach Hause”, sagte ich.

“Nach Hause? Schlafen vielleicht? Was soll das? Das gibt’s nicht, mitten am Tag nach Hause gehen! Wenn das jeder machen würde!”

“Ich will nach Hause. Richtig nach Hause. Nach Hohenroda. Ich komme nicht wieder.” Ich ging zur Tür. “Es tut mir leid wegen der Kartoffeln”, sagte ich noch. Dann ging ich.

Und damit könnte die Geschichte zu Ende sein. Ich fahre zurück nach Hohenroda, und es wäre bewiesen: Ossis können eben nicht richtig arbeiten und sollten am besten dort bleiben, wo sie herkommen.

Aber so einfach ist das nicht, und die Geschichte war noch nicht zu Ende.

8. Sommertage in Hohenroda

Eine Zeit lang ging alles gut. Ich half meiner Mutter in unserem Laden. Die Arbeit machte mir Spaß, und da wir zu zweit waren, konnten wir länger offen bleiben. Das war auch nötig, denn im alten "Konsum"-Laden hatte eine große Supermarktkette eine *Filiale* eröffnet. Dort gab es alles billiger als bei uns. Wir machten unseren Laden aber frühmorgens auf, wenn die Leute zur Arbeit gingen, und auch spätabends, wenn sie sich das Abendessen machten. Wer am Abend noch Besuch bekam und schnell noch ein paar Würstchen im Glas und etwas Kartoffelsalat und ein paar Flaschen Bier brauchte, konnte zu uns kommen. Wer frühmorgens auf dem Weg zur Arbeit eine Zeitung oder Zigarettentabak oder einen Liter Milch brauchte, kam zu uns. Außerdem gab es Menschen, die lieber zu uns kamen, weil sie meine Mutter oder mich kannten und sich gern mit uns beim Einkauf unterhielten. Und so konnten wir uns noch über Wasser halten.

Aber zu Hause fühlte ich mich nicht wohl. Es war ja alles viel enger geworden durch den Laden. Ich hatte kein eigenes Zimmer mehr und schlief auf dem Sofa im Wohnzimmer. Mein Vater trank immer mehr. Und wenn er einen freien Tag hatte, traf er sich in der Kneipe mit alten Kollegen aus der Glasfabrik, die jetzt arbeitslos waren, spielte Karten, trank zu viel Bier und sagte: "Ich hab's ja gesagt, ich hab's ja gesagt, aber ihr wolltet nicht hören." Und die Kollegen sagten dann: "Ja, ja, du hast ja Recht. Alles war ja nicht schlecht frü-

---

die Filiale, große Banken, Warenhäuser usw. haben Filialen in verschiedenen Städten, Stadtteilen, Dörfern

her. Wenigstens hatten wir Arbeit." Aber von solchen Reden bekam auch keiner von ihnen einen Job.

In einer anderen Ecke der Kneipe saßen meistens jüngere Leute, Maiks Clique. Ja, Maik war wieder da, und wie früher war er im Mittelpunkt. Er hatte eine Gruppe organisiert, die er "Nationale Deutsche Jugend" nannte. Maik war der Führer, und die Mitglieder seiner Jugendgruppe hatten meistens ganz kurze Haare oder eine Glatze wie Maik, trugen Bomberjacken, Jeans und schwarze *Stiefel* wie Maik. Auch sie hatten, wie die älteren Arbeiter, meistens keine Arbeit und sahen keine Zukunft.

Viele Mitglieder der "Nationalen Deutschen Jugend" kannte ich von früher - von der Schule oder vom Jugendklub. Wir waren Freunde gewesen, ja, wir waren immer noch Freunde, obwohl sie jetzt dummes Zeug redeten. "Deutschland muss wieder den Deutschen gehören!" sagte Maik, oder: "Die Ausländer nehmen uns die Arbeitsplätze weg!" Das war doch Unsinn. Hatten Ausländer die Glasfabrik geschlossen? Nein. Wollten Ausländer den Bahnhof schließen? Nein. Der Supermarkt, der unserem Laden Schwierigkeiten machte - gehörte er einem Ausländer? Nein. Es gab überhaupt keine Ausländer bei uns in Hohenroda! Die Russen waren ja weg. Und die Russen hatten uns keine Arbeitsplätze weggenommen. Ja, Maik und seine Leute redeten Unsinn. Und von solchen Reden bekam auch keiner von ihnen einen Job.

Aber manchmal setzte ich mich zu ihnen, trank eine

---

der Stiefel, ein fester Schuh, wie ihn Soldaten tragen

Cola, und dann war es fast so wie früher im Jugendklub, und wir redeten über Mädchen, Autos und Motorräder. Und an den Wochenenden fuhren wir oft zusammen ins Grüne, bauten unsere *Zelte* irgendwo im Freien auf, an einem See oder einem Fluss, und sangen Lieder am Lagerfeuer. Es machte Spaß, mit Maik und den anderen zusammen zu sein, und es war ein schöner Sommer.

Eines Tages Mitte September hielt ein Mercedes mit westdeutschem Nummernschild vor unserem kleinen Laden und ein gut aussehender, braun gebrannter junger Mann stieg aus und kam herein. Typischer Wessi, Manager-Typ, dachte ich mir, was will der in unserem Laden? Wahrscheinlich will er wissen, wie er zur Autobahn kommt. Aber der Mann sah sich im Laden um, lächelte und sagte:

"Guten Tag. Ähm … könnte ich vielleicht mit Frau ... ähm, Bauer sprechen? Mein Name ist Meyer. Von der Firma 'Megamarkt'."

"Megamarkt", so hieß die Supermarktkette, die im alten "Konsum" eine Filiale hatte. Meine Mutter kam aus unserer Küche, die jetzt unser Lager und unser Büro war.

"Ich bin Frau Bauer", sagte sie. "Das ist mein Sohn Oliver. Was kann ich für Sie tun?"

"Frau Bauer, ich muss Ihnen zu diesem Laden gratulieren. Gute Waren, anständige Preise, alles sehr sauber und ordentlich ..."

"Nü."

"Tja, aber so ein Laden bringt auch Sorgen mit sich,

---

das Zelt, ein tragbares Haus aus Plastik oder Stoff

M EY 555
OMO

nicht wahr? Man muss Schulden machen, man weiß nicht, ob man sie zurückzahlen kann. Man muss lange arbeiten, und manchmal reicht das Geld trotzdem nicht. Stimmt's, Frau Bauer?"

"Nü."

"Wie? Ach so, ja. Nun, kurz und gut, ich bin hier, um Ihnen ein *Angebot* zu machen. Unsere Firma, die 'Megamarkt'-Kette, ist bereit, Ihnen diesen Laden abzukaufen. Und zwar zu einem sehr anständigen Preis, das kann ich Ihnen sagen, Frau Bauer." Und Herr Meyer nannte eine Summe, mit der man wahrscheinlich ein Auto kaufen könnte wie die Superkiste, die vor unserem Laden stand.

"Den Laden kaufen? Sie meinen das Haus?"

Herr Meyer musste lachen. "Nein, nein, nein, Frau Bauer, ich bitte Sie. Wir kaufen Ihnen Ihre Ware ab. Und Sie machen Ihren Laden einfach zu. Dann haben Sie wieder mehr Platz in Ihrem Häuschen, und ..."

"Und Ihr Supermarkt ist der einzige Laden in Hohenroda und macht noch mehr Geld."

"Nun ja, sicher. Wir sind ja ein *Unternehmen.* Wir müssen an den Gewinn denken. Wie Sie ja auch, Frau Bauer. Und, wie gesagt, wir bieten Ihnen einen sehr anständigen Preis, das müssen Sie zugeben."

"Und wenn das Geld alle ist - wovon leben wir dann, meine Familie und ich?"

"Tja, das ...ähm, ich meine, ich könnte mit dem Filialleiter reden, sicher kann er eine ... ähm, Verkäuferin gebrauchen."

---

das Angebot, ein Vorschlag
das Unternehmen, eine Firma

"Und ich sitze den ganzen Tag an der Kasse. Und dafür wird eine andere Frau entlassen. Wissen Sie, Herr Meyer, dieser Laden macht mir Spaß. Ja, er macht auch Sorgen. Aber zum ersten Mal in meinem Leben bin ich meine eigene Chefin. Das will ich nicht aufgeben. Und wir sind hier für die Menschen, wenn sie etwas brauchen - frühmorgens und spätabends. Nee, Herr Meyer, das ist ein gutes Angebot, da haben Sie Recht, aber ich will nicht verkaufen."

Herr Meyer biss sich auf die Lippe. "Frau Bauer, ich kann Sie gut verstehen, glauben Sie mir", sagte er. "Aber ich habe einen *Auftrag* von meiner Firma, und der Auftrag heißt: dieser Laden muss weg. Ich bin ganz offen mit Ihnen. Weil ich Ihr Bestes will, Nehmen Sie mein Angebot an. Wir können auch anders."

"Tja, was meint er damit?" fragte ich, als Herr Meyer wieder in sein Auto gestiegen war und Richtung Autobahn wegfuhr. Das sollten wir bald erfahren. Aber vorher gab es eine noch größere Aufregung, als es in Hohenroda hieß: "Die *Asylanten* kommen!"

---

der Auftrag, eine Aufgabe, ein Befehl
der Asylant, Menschen, die wegen ihrer Rasse, ihrer Religion oder ihrer politischen Meinung verfolgt werden, können in Deutschland Asyl bekommen: sie dürfen in Deutschland bleiben.

9. Brennt das Asylantenheim?

Fünfzig Asylanten sollten es sein, alle aus Vietnam. Für sie wurde eine *Baracke* auf dem Kasernengelände *renoviert* - neue Fenster, Betten und Schränke, neue Bäder, Toiletten, Küchen. "Für die Ausländer wird alles neu gemacht, und wir Deutschen sitzen noch in unseren alten Wohnungen, und der Putz fällt uns von der Decke in die Suppe!" schimpften einige Leute in der Kneipe, und in unserem Laden sagten einige alte Damen: "Vietnamesen! Da kann man abends nicht mehr aus dem Haus gehen! Wer weiß, was sie mit einem machen!"

Nicht alle Leute in Hohenroda waren gegen die Asylanten, wahrscheinlich nicht einmal die meisten. Der neue Bürgermeister zum Beispiel machte eine Versammlung in der Aula und sagte, dass wir die Asylanten als Gäste begrüßen sollten. Aber er bekam wenig Beifall, und am Tag, als die fünfzig Vietnamesen in Hohenroda ankamen, organisierte die "Nationale Deutsche Jugend" eine ganz andere Begrüßung. Mit *Fackeln* und Fahnen zogen Maiks Freunde durch die Hauptstraße und dann in Richtung Kaserne, und viele Menschen kamen aus ihren Häusern oder aus der Kneipe und marschierten mit. Insgesamt waren es 30 oder 40 Menschen. Ich sage es nicht sehr gern, aber ich war auch dabei.

Gegen Ausländer hatte ich nichts, wisst ihr. Ehrlich. Ich meine, irgendwo müssen sie bleiben, wenn bei ihnen Krieg ist, oder wenn sie verfolgt werden, oder wenn es ihnen zu Hause schlecht geht. Und warum sol-

---

die Baracke, ein Wohnhaus für Soldaten in einer Kaserne
renovieren, neu und schöner machen
die Fackel, ein brennendes Stück Holz

AUSLÄNDER
RAUS
DEUTSCHLAND
DEN
DEUTSCHEN !
LEBENSMIT
ASY
NEIN
DAN

len sie nicht bei uns bleiben? Viele Menschen sind ja auch aus der DDR weggegangen, weil sie verfolgt wurden oder weil sie es besser haben wollten, und sie wurden in der Bundesrepublik aufgenommen. Und bloß weil jemand eine gelbe oder schwarze oder braune Haut besitzt, soll es anders sein? Nein.

Warum war ich also dabei? Was hatte ich zu suchen unter diesen verrückten Glatzköpfen, die mit Fackeln zur Kaserne zogen und "Ausländer raus!" und "Deutschland den Deutschen!" brüllten? Ich war nur dabei, weil ... weil alle dabei waren, Maik und alle meine Freunde. Weil es, ehrlich gesagt, nicht leicht ist, ein Außenseiter zu sein. Weil ich mich im Westen als Mensch zweiter Klasse gefühlt hatte und hier zu den Menschen erster Klasse gehören wollte.

Und weil es Spaß machte, durch die kühle Nacht zu marschieren, die Fackeln und Fahnen zu sehen und ganz, ganz laut zu brüllen, so dass die Hunde und Katzen, die Füchse und Eulen und ganz bestimmt die Vietnamesen furchtbare Angst bekamen. Sie hatten sich in ihrer Baracke eingeschlossen und sahen ängstlich aus den Fenstern. Schon flogen die ersten Steine. "*Anzünden*!" rief einer. "Anzünden! Das Asylantenheim soll brennen!" Weit und breit war kein Polizist zu sehen. "Anzünden! Anzünden!"

Plötzlich trat jemand aus der Tür der Baracke. Mir sprang das Herz fast in den Mund. Es war mein Vater. Er hatte seine Wachdienst-Uniform an und eine Taschenlampe in der Hand. Mit der Taschenlampe leuchtete er den Anführern der Demonstration direkt in die Augen.

---

anzünden, mit einem Streichholz kann man eine Zigarette usw. anzünden

Ich glaube, er hatte wieder Schnaps getrunken. Ich weiß nicht, ob er sonst den Mut gehabt hätte, allein gegen so viele Menschen aufzutreten. Aber sie kannten ihn alle, und als er die Hand hob, wurden sie ruhig, wie eine Gruppe Schulkinder, wenn ein beliebter Lehrer zu ihnen spricht.

"Hört mal zu", sagte er, "diese Baracke hier gehört zur Kaserne, und diese Kaserne bewache ich, und da kommt ihr nicht ran. Und wenn ihr dieses Haus beschädigen wollt, müsst ihr erst mich beschädigen."

Plötzlich wusste ich wieder, auf welche Seite ich gehörte. Ich verließ die Gruppe und trat zu meinem Vater. Einige Leute pfiffen und brüllten irgendetwas gegen mich, aber mein Vater hob wieder die Hand.

"Wie gesagt, von dieser Baracke lasst ihr schön die Finger, sonst müsst ihr mich beschädigen, und Olli hier auch, denn wir lassen euch nicht vorbei. Aber vorher rufe ich die Polizei." Er hatte ein *Funkgerät* in der Hand und zeigte es den Marschierern. Er hatte das Ding nie benutzt und wusste nicht, wie es funktionierte, das hatte er mir einmal erzählt. Und es waren auch keine Batterien drin. Aber außer mir und ihm wusste das niemand. "Wenn ihr jetzt friedlich nach Hause geht, dann verspreche ich euch, dass wir die ganze Sache vergessen", sagte mein Vater. "Ich habe nichts gesehen und niemanden erkannt. Also, wie ist es?"

Die Marschierer wussten nicht, was sie tun sollten. Die ersten drehten sich schon um und gingen einzeln oder in kleinen Gruppen im Dunkeln nach Hause zurück.

---

das Funkgerät, wie ein Telefon; Polzisten, Feuerwehrleute usw. haben Funkgeräte, um Hilfe zu rufen

Bald standen nur noch Maik und etwa zehn Mitglieder seiner “Nationalen Deutschen Jugend” mit ihren Fackeln vor der Baracke. Da hörte man von Ferne schon *Polizeisirenen.* Jemand in Hohenroda hatte wahrscheinlich doch noch die Polizei gerufen. Spät, aber besser als gar nicht. Die übrig gebliebenen Demonstranten ließen ihre Fackeln fallen und rannten weg. Bevor er im Dunkeln verschwand, sah mir Maik in die Augen: “So, Olli, das war’s”, sagte er. “Mit unserer Freundschaft ist es aus. Dir wird es schlecht gehen in Hohenroda, glaube mir.”

Mein Vater legte mir den Arm um die Schulter. “Mann!” sagte er, “mir zittern die Beine!” Er musste sich auf die Erde setzen. Jetzt sahen wir schon durch die Bäume das Blaulicht der ersten Polizeiautos. Einige Vietnamesen kamen aus der Tür. Sie redeten durcheinander und klatschten Beifall, wie nach einem Theaterstück. Aber es war leider kein Theater gewesen.

---

die Sirene klingt (auf Deutsch) so: “tatüu – tataa!” Polizei, Feuerwehr, Krankenwagen haben Sirenen

10. Die “Schwalbe”

Ein paar Tage nach dem Marsch zum Asylantenheim lernten wir, was Herr Meyer meinte, als er gesagt hatte: “Wir können auch anders.” Meine Mutter bekam einen Brief vom Bürgermeister, in dem er sie auf die gesetzlichen Ladenöffnungszeiten in Deutschland aufmerksam machte. “Ich muss Sie in aller Form auffordern, sich ab sofort an die gesetzlichen Bestimmungen zu halten”, schrieb er. “Sonst sehe ich mich leider gezwungen, gegen Sie eine Geldstrafe zu *verhängen* oder Ihren Laden zu schließen.”

Vielleicht war es nur ein Zufall, dass der Bürgermeister seit kurzer Zeit ein schönes neues Auto fuhr. Vielleicht. Und vielleicht war es auch nur ein Zufall, dass Herr Meyer schon am nächsten Tag wieder in unserem Laden war und meiner Mutter mit einem traurigen Lächeln wieder anbot, ihr den Laden abzukaufen - aber dieses Mal für sehr viel weniger Geld. Vielleicht. Jedenfalls war es klar, dass die Tage unseres kleinen Ladens gezählt waren. Ich musste mir Arbeit suchen. Und das hieß, ich musste wieder weg aus Hohenroda. Aber wohin?

Manchmal gibt der Himmel Antworten.

Kurz nach dem Besuch von Herrn Meyer von der Firma “Megamarkt” erschien ein Vietnamese im Laden. Ich erkannte einen der Männer vom Asylantenheim. Er lächelte und zeigte auf mich. “Bitte”, sagte er, “Bitte, kommen Sie, ja?”

---

verhängen, eine Strafe verhängen ist amtliches Deutsch und bedeutet strafen, bestrafen

“Gibt es wieder Ärger?” fragte ich. Ich konnte mir das nicht vorstellen. Inzwischen wurde das Heim rund um die Uhr von der Polizei geschützt.

Der Mann lächelte, zeigte wieder auf mich und sagte wieder: “Kommen Sie, ja? Bitte.”

Ich folgte ihm aus dem Laden. Draußen waren einige vietnamesische Kinder. Sie lachten, als sie mich sahen, und zogen und schoben mich in die Richtung des Asylantenheims. Dort warteten noch mehr Kinder und einige Männer und Frauen auf mich. Sie redeten durcheinander und klatschten Beifall, wie beim Theater. Der Mann, der mich geholt hatte, nahm mich am Arm und führte mich zu einem kleinen *Schuppen*, der neben einer der leeren Baracken stand.

“Bitte, ja? Sehen Sie.”

Hinter mir standen jetzt fast alle Vietnamesen, lachten und redeten durcheinander. Ich ging auf den Schuppen zu und machte die Tür auf...

Und da war sie. Im Halbdunkel des Schuppens leuchtete sie dunkelrot wie ein *Rubin*. Sie roch herrlich nach Öl und Benzin. Genau so hatte ich sie schon tausendmal in meinen Träumen gesehen. Die “Schwalbe”.

“Bitte, ja? Ist Geschenk. Bitte nehmen”, sagte der Vietnamese, der mich abgeholt hatte. Die anderen lächelten nur und klatschten.

“Aber... aber...”, sagte ich. “Wie... wo...?”

“Wir finden alte Maschine. Machen neu... für Sie, bitte, ja?”, sagte der Vietnamese. “Ihr Vater sagt uns...”

Ich schob die schöne Maschine aus dem Schuppen

---

der Schuppen, ein kleines Gebäude, wie eine Hütte, für Gartengeräte usw.

der Rubin, ein Edelstein, wie ein Diamant

ins Sonnenlicht, stieg auf und fuhr langsam einmal um die Baracke. Die Vietnamesen lachten und klatschten. Ich lachte wie ein Kind und winkte und rief: “Danke! Danke!” Die Tränen liefen mir übers Gesicht. In meinen Ohren *rauschte* schon die Ostsee.

11. Ans Meer

Was habt ihr für Träume? In Protzau habe ich einmal mit einem Lehrer an der Berufsschule gesprochen, sein Traum war es, mit einer Harley-Davidson einmal durch Amerika zu fahren, von der Ostküste bis zur Westküste. So ähnlich war es für mich, mit der “Schwalbe” von Hohenroda im Süden bis Rostock im Norden Deutschlands zu fahren. Und es dauerte fast so lange wie mit einer Harley-Davidson von New York nach San Francisco. Die “Schwalbe” war schön, aber nicht schnell. Und so fuhr ich, nicht auf der Autobahn, sondern auf kleinen Landstraßen, unter dem weiten, blauen Herbsthimmel, vorbei an braunen und grauen Feldern, unter hohen Bäumen mit gelben und roten Blättern... he, einen Augenblick, ich bin doch kein Maler oder Dichter! Aber es war schön, und wenn ich nachts irgendwo auf dem Feld oder im Wald in meinem kleinen Zelt lag, warm in meinem dicken Schlafsack, hatte ich viel Zeit

---

rauschen, das Meer rauscht, die Blätter eines Baums rauschen im Wind zum Nachdenken. Und mir wurde klar: Träume können wahr werden. Man muss eben an Träume glauben. Immer hatte ich von der "Schwalbe" geträumt. Jetzt hatte ich sie. Immer hatte ich von der Ostsee geträumt. Jetzt war ich auf dem Weg dorthin. Gut, das war nur eine Hälfte meines Traums. Da war noch die andere Hälfte. Da war noch Biene. Aber ein halber Traum ist sehr viel mehr als gar kein Traum, oder?

Kurz vor Rostock sah es aber so aus, als ob dieser Traum auch vorbei wäre. Die "Schwalbe" wollte nicht weiter. Irgendetwas war kaputt. Aber was? *Keine Ahnung.* Ich bin nicht nur kein Maler und kein Dichter, ich bin auch kein *Mechaniker.* Ich bin Koch. Und damals war ich nicht einmal ein richtiger Koch, sondern ein Lehrling. Und nicht einmal ein richtiger Lehrling, sondern... - nun, ihr wisst es ja. Also saß ich auf einem Parkplatz neben meiner "Schwalbe", die nicht mehr fliegen wollte, und dachte:

"Träume? An Träume glauben? Pffff! Jetzt brauchst du keinen Traum, Olli, sondern ein Wunder!"

Und in diesem Augenblick, ehrlich, genau in diesem Augenblick passierte auch ein Wunder. Neben mir hielt ein Mercedes mit westdeutschem Kennzeichen. Aus dem Auto stieg ein braun gebrannter, gut aussehender Mann und kam auf mich zu.

"Hmmm", dachte ich, "typischer Wessi. Manager-Typ. Was will der von mir?" Aber dann machte der "typische Wessi" den Mund auf und sagte im breitesten sächsischen Dialekt:

---

keine Ahnung[*], ich weiß es überhaut nicht
der Mechaniker, ein Mechaniker kann Maschinen reparieren

"Mannomann, das ist doch eine 'Schwalbe', nü? So eine Maschine hatte ich auch einmal. Früher, wissen Sie." Er sah mich an."Könnte ich vielleicht eine Runde damit fahren? Nur so, zum Spaß, nü? Wie in alten Zeiten."

"Geht nicht", sagte ich traurig. "Die 'Schwalbe' ist müde. Sie fliegt nicht mehr."

Aber Herr Hartmann - so hieß der Mann mit dem sächsischen Akzent und dem Mercedes, Bernd Hartmann - kannte die "Schwalbe". Nach fünf Minuten hatte er schwarze Hände, aber die Maschine lief wieder. Er lächelte, stieg auf und fuhr davon.

"Wenn ich nicht zurückkomme, nehmen Sie den Benz!" rief er.

Aber er kam zurück. "Danke, das hat Spaß gemacht!" sagte er. "Und wo soll es hingehen mit der 'Schwalbe'?"

Wir kamen ins Gespräch. Und jetzt kommt der Punkt, wo ihr bestimmt sagt: "Nein, das glauben wir nicht!" Aber wie ich gesagt habe: Ich brauchte ein Wunder und es passierte ein Wunder.

Herr Hartmann leitete für eine westdeutsche Firma ein Hotel in Rostock. Und er suchte für das Hotelrestaurant - ehrlich! - einen Koch - genauer gesagt, einen Lehrling.

"Hoffentlich wissen Sie mehr über die Kunst des Kochens als über die Kunst, ein Motorrad zu reparieren!" sagte Herr Hartmann. "Aber das werden wir ja sehen."

"Und Sie wollen wirklich einen Ossi als Lehrling nehmen?" sagte ich. "Sie wissen doch, was die Ossis wollen: Verdienen wie die Westdeutschen, soziale Sicherheit wie in Schweden..."

F OS793

"...arbeiten wie in der DDR!" lachte Herr Hartmann. "Also, in unserem Hotel arbeiten wir alle hart. Soziale Sicherheit? Wenn Sie faul oder dumm sind, fliegen Sie raus. Und Geld? Als Lehrling verdienen Sie nicht sehr gut, das wissen Sie. Aber Sie können eine Menge lernen, das verspreche ich. Wollen Sie das?"

"Nü!" sagte ich.

Herr Hartmann hatte Recht. Im Restaurant "Meeresblick" mussten alle sehr hart arbeiten, eigentlich genau so hart wie im "Ratskeller". Aber jetzt lernte ich etwas - ich lernte sogar eine Menge.

Zum Beispiel richtig einkaufen - frischen Fisch ganz früh auf dem Fischmarkt; Fleisch beim besten Fleischer der Stadt; Gemüse direkt vom Bauernhof. "Wenn der Fisch, das Fleisch und das Gemüse nicht gut sind, kann auch der beste Koch nichts Gutes kochen", sagte Herr Hartmann. Im Restaurant "Meeresblick" wurden keine Büchsen oder tiefgefrorene Pommes frites *verwendet.* Alles kam frisch auf den Tisch. Ich lernte richtig schneiden: Kartoffeln und Karotten schneidet man ja anders und mit anderen Messern als Tomaten; Salat wieder anders, und Zwiebeln... Nun, ich könnte viel erzählen, aber ihr versteht schon, das ist fast eine eigene Wissenschaft. Bald kaufte ich meine eigenen Messer, für jede Aufgabe ein anderes. Ich lernte exakt zu braten und auf die Minute genau zu kochen. "Wenn man zu lange brät, wird auch der beste Steak *zäh,* und wenn man zu lange kocht, kann man auch den schönsten Fisch kaputt machen", sagte Herr Hartmann. Und schließlich lernte

---

verwenden, benutzen
zäh, wie Leder, schwer zu kauen

ich, feine Soßen zu *komponieren* ... Herr Hartmann hatte Recht, das Kochen kann eine Kunst sein. Und ich wurde ein Künstler - ich wurde ein guter Koch. (Herr Hartmann sagt, ich wäre sogar ein sehr guter Koch. Aber ehrlich gesagt: Ich muss noch viel lernen.)

Ich hatte wenig freie Zeit. Abends waren immer viele Gäste im Restaurant - auch wenn es im Winter nicht so viele Touristen gab, kamen Geschäftsleute, um bei uns zu essen. Denn jeder wusste: im Restaurant "Meeresblick" kann man gut essen. Aber ich wollte auch nicht in die Disco oder ins Kino gehen. Ich hatte ein kleines Zimmer unterm Dach des Hotels, mit Blick auf das Meer, und meistens ging ich nach der Arbeit hinauf in mein Zimmer, warf mich auf das Bett und schlief sofort ein. Wenn ich einen freien Tag hatte, fuhr ich mit der "Schwalbe" aus der Stadt heraus, ging lange am *Strand* spazieren oder saß in den *Dünen*, hörte die *Möwen* schreien und dachte an Biene. Manchmal schrieb ich ihr lange Briefe. Ich schrieb ihr vom Fischmarkt und vom Fleischer, von der Arbeit in der Küche und von meinen Spaziergängen, vom weiten Himmel und vom Meer, das jeden Tag, nein, jede Stunde seine Farbe änderte, von grau zu grün zu blau zu schwarz. Und manchmal - nicht sehr oft - schrieb Biene zurück. Einmal schrieb sie:

"Vielleicht kann ich nach dem *Abitur* in Greifswald

---

komponieren, Beethoven komponierte Musik.
der Strand, am Ufer des Meeres ist meistens ein Strand aus Steinen oder Sand
die Düne, ein kleiner Berg aus Sand
die Möwe, ein weißer Meeresvogel
das Abitur, Abschlussprüfung am Gymnasium; mit dem Abitur darf man an einer Universität studieren.

oder Rostock studieren. Dann sehen wir uns öfter, und du kochst für mich, ja?" Diese Stelle habe ich mindestens hundertmal gelesen. Aber es ist doch ganz anders gekommen.

12. Die Rückkehr des verlorenen Sohnes (2)

Auch zwischen den Gleisen wächst das Gras. Die Eisenbahn fährt hier nicht mehr, der Bahnhof ist schon lange geschlossen. Aber die Straße hat man ausgebessert, und jetzt sieht sie aus wie neu. Von der Autobahn sind es nur wenige Minuten bis Hohenroda. Auf der Autobahn rauscht Tag und Nacht der Verkehr zwischen Berlin und Dresden - hier ist es aber ganz still, hier rauschen die Bäume, und man hört die Vögel singen. Zum zweiten Mal komme ich nach Hause zurück. Aber damals hatte ich nichts, war nichts, konnte nichts. Damals war ich der dumme Olli aus Ossiland, der seine Lehre abgebrochen hatte. Und jetzt? Jetzt bin ich immer noch der gleiche Olli aus Ossiland. So sehe ich das jedenfalls. Ich habe die Lehre abgeschlossen. Ich habe etwas Geld und fahre mit einem BMW nach Hohenroda zurück. (Alt, aber bezahlt.) Aber ich bin immer noch Olli, und diese Gegend ist immer noch meine Heimat. Und deshalb habe ich der Firma von Herrn Hartmann einen Vorschlag gemacht.

Hier in Hohenroda könnte man ein kleines Hotel eröffnen. Für Geschäftsleute, die hier in der Gegend oder in Dresden zu tun haben. Und für Menschen, die sich erholen und die Ruhe genießen wollen. Denn jetzt ist es wirklich sehr ruhig hier. Unser Glas können wir nicht mehr verkaufen. Vielleicht können wir unsere Ruhe verkaufen. Man kann in den schönen Wäldern spazieren gehen und in den kleinen Seen baden; hier sieht man Störche auf den Dächern, hier sind *Reiher* und *Adler* und viele andere Vögel zu Hause. Und obwohl es hier so schön und so ruhig ist, kann man auf der Autobahn ganz schnell nach Dresden oder sogar nach Berlin kommen.

Dieses Hotel sollte auch ein Restaurant haben. Ein gutes Restaurant. Nicht nur für die Hotelgäste, sondern auch für Menschen aus Dresden und Berlin, die an den Wochenenden einen kleinen Ausflug aufs Land machen, und für Leute, die auf der Autobahn unterwegs sind und etwas Besseres wollen als die Bratwürste aus Gummi und die tiefgefrorenen Pommes frites, die es in den meisten *Autobahnraststätten* gibt - und auch für die Menschen aus Hohenroda und der Umgebung, die gern gut essen, wenn es nicht zu teuer ist. Das Hotel könnte Herr Hartmann leiten. Er kennt sich ja in Sachsen aus. Und wer soll das Restaurant leiten? Nun, da gibt es doch diesen Jungkoch Oliver Bauer, nicht wahr? Er soll gut sein, manche sagen sogar sehr gut. Also mit anderen Worten: Olli.

Das Hotel wird einige Arbeitsplätze in Hohenroda

---

der Reiher, ein schöner Wasservogel mit langen Beinen
der Adler, ein Raubvogel
die Autobahnraststätte, Restaurant an der Autobahn

schaffen. Wir werden ein schönes altes Haus renovieren, dafür werden viele Menschen gebraucht, und danach braucht man ja Zimmermädchen, Gärtner, Techniker, Putzfrauen, Kellner, einen Lehrling und Hilfskräfte für die Küche, Leute für die Rezeption. Es ist nicht viel, aber viel besser als gar nichts. Ein Anfang vielleicht. Ein bisschen Hoffnung in einer Stadt, die kaum noch Hoffnung hat.

Hoffnungen, Träume… und was ist mit meinen privaten Hoffnungen und Träumen, was ist mit Biene, fragt ihr? Tja … große Hoffnungen habe ich, ehrlich gesagt, nicht mehr. Biene studiert inzwischen Medizin - nein, nicht in Rostock oder Greifswald, sondern in München. Und ich glaube, dort gefällt es ihr gut. Sie schreibt nur noch selten, die Sabine, und in ihren Briefen ist oft von einem "Horst" die Rede. Vielleicht sollte ich nicht mehr an sie denken. Das meint jedenfalls Marlies.

Marlies ist Kellnerin im Restaurant "Meeresblick". Sie ist nett. Marlies ist immer freundlich zu den Gästen, sie ist lustig, und wir lachen viel zusammen. Wir sind sogar zusammen im Kino gewesen, und in der Disco, und obwohl ich einen roten Kopf und riesengroße Füße bekam, hat Marlies nicht gelacht, sondern sagte: "Du kannst doch super tanzen." Ich sagte euch ja, Marlies ist nett. Sehr nett sogar. Marlies hat auch gesagt, sie würde gern als Kellnerin im neuen Hotel in Hohenroda arbeiten. "Ihr braucht doch wenigstens eine Kellnerin mit Erfahrung, oder?" sagte sie.

Aber Marlies mag es nicht, wenn ich von Sabine rede. "Sabine! Sabine!" sagt sie dann. "Was ist an diesem Mädchen bloß so wunderbar? Mensch, Olli, willst du ein Leben lang von dieser Sabine träumen?"

Ja, will ich das?

Meistens habe ich keine Zeit zum Träumen. Es gibt viel zu tun, bevor wir unser "Hotel Hohenroda" eröffnen können. Aber manchmal, vor dem Einschlafen, erlaube ich mir doch einen kleinen Traum. Es ist der Eröffnungsabend, und viele feine Leute aus Dresden sind da, auch Leute aus Berlin und Leipzig und aus Frankfurt am Main, wo unsere Firma sitzt. Und auch aus Hohenroda sind die wichtigsten Menschen da - der Bürgermeister und der Schuldirektor und der Filialleiter vom "Megamarkt"; aber auch meine Eltern, auch wenn meine Mutter immer noch arbeitslos und mein Vater nur ein kleiner Wachmann ist; und auch einige Vietnamesen vom Asylantenheim - ohne sie wäre schließlich dieses Hotel nicht da, denn ohne sie hätte ich keine "Schwalbe", und ohne "Schwalbe" hätte ich nie Herrn Hartmann getroffen, und - also, das ist doch klar, oder?

So, und jetzt geht die Tür auf, und alle Gäste drehen den Kopf, weil das Mädchen, das jetzt herein kommt, so hübsch ist. Aber Sabine sieht nicht nach links oder rechts, sondern rennt direkt in die Küche - Halt! Stopp! Haltet den Film an! Es ist doch Sabine, oder? Oder ist es Marlies? Das Gesicht ist in meinem Traum so undeutlich, ich kann es nicht genau erkennen.

Vielleicht brauche ich eine Brille.

Vielleicht brauche ich noch etwas Zeit.

Vielleicht sollte ich wirklich aufhören zu träumen.

Was meint ihr?

Fragen zum Text, Vorschläge für Aktivitäten

1. Wie alles anfing

1. Für Olli wird am 9. November 1989 alles anders. Können Sie ein Datum nennen, das Ihr Leben verändert hat? Schreiben Sie einen kurzen Text darüber.
2. Hohenroda ist eine Kleinstadt in Sachsen. Was wissen Sie über Sachsen? (Die Landkarte in diesem Buch kann Ihnen helfen.)
3. Wie alt ist Olli am 9. November 1989? Und wie alt ist er, als er seine Geschichte erzählt?
4. Richtig oder falsch?
- Am 9. November 1989 wurden Ost- und Westdeutschland wieder ein Land.
- Hohenroda ist eine typische westdeutsche Kleinstadt.
- Ollis bester Freund heißt Maik.
- Maiks Freundin heißt Sabine.
- Olli bewundert Maik, weil er so cool ist.

2. Familiengeschichten

1. Wie will Maik nach Berlin kommen?
2. Warum findet Olli Maiks Idee nicht gut?
3. Warum will Sabine nach Berlin fahren?
4. Stellen Sie sich vor: Sie können jeder der folgenden Personen aus der Geschichte eine Frage stellen. Wählen Sie zwei Personen aus; stellen Sie Ihre Fragen, und schreiben Sie die Antworten auf.

- Direktor Schmodrau
- Bürgermeister Werkmund
- Sabines Vater
- Sabine
- Ollis Vater
- Ollis Großvater
- Ollis Mutter
- Ollis Großmutter
- Maik

3. “Ich wünsche eine fröhliche Wiedervereinigung”

1. Im ersten Absatz spricht Olli ziemlich kritisch über die Menschen von Hohenroda. Woran merkt man das?
2. Ollis Vater war immer für die DDR, aber er soll die Rede zur Feier der Wiedervereinigung halten. Das ist “paradox”. Finden Sie andere Dinge in diesem Kapitel, die paradox sind!
3. Warum wird die Rede kein Erfolg?
4. Ein Projekt: In diesem Kapitel spielt die Nationalhymne Deutschlands eine Rolle (Musik: Joseph Haydn; Text: Hoffmann von Fallersleben). Der Schuldirektor singt: “Einigkeit und Recht und Freiheit…” Maik und seine Freunde singen: “Deutschland, Deutschland über alles…” Welcher Text ist der richtige? Versuchen Sie, Informationen über die deutsche Nationalhymne zu bekommen.

4. Die Rückkehr des verlorenen Sohnes (1)

1. Wie alt ist Olli, als er das erste Mal nach Hohenroda zurückkehrt?
2. Was hat sich in Hohenroda verändert?

5. Goldener Westen

1. Vergleichen Sie das, was Olli über Hohenroda erzählt hat, mit seiner Beschreibung von Protzau. Halten Sie Ihre Ergebnisse in Stichpunkten fest:

Hohenroda	Protzau
Sachsen	Bayern
Früher DDR	

2. Warum ist Olli mit der Lehrstelle im "Ratskeller" unzufrieden?
3. Warum ist die Beziehung zwischen Olli und Sabine in Protzau anders als in Hohenroda?

6. Biene, I love you

1. Denken Sie an ein schönes Fest in Ihrer Heimat. Wie würden Sie es einem Menschen in Deutschland beschreiben?
2. Welche Schwierigkeiten hat Sabine im Westen?
3. Wenn Sie Sabine einen Brief schreiben könnten, was würden Sie ihr sagen? Macht Sie alles richtig? Macht sie Fehler? Sollte sie über bestimmte Dinge nachdenken?

7. Es geht nicht mehr

1. Glauben Sie, dass Olli das Richtige macht, als er nach Hohenroda zurückkehrt? Schreiben Sie die Argumente dafür und dagegen in Stichpunkten auf:

Pro	Contra
Herr Wamshüter schimpft immer	

2. Schreiben Sie diesen Teil der Geschichte aus Öslems Blickwinkel!

8. Sommertage in Hohenroda

1. Kaufen Sie lieber in einem kleinen Laden ein oder in einem Supermarkt? Warum?
2. Gibt es in Ihrem Land auch ausländerfeindliche Gruppen?
3. Olli hält das, was Maik sagt, für Unsinn. Warum ist er trotzdem viel mit ihm zusammen?
4. Warum will Herr Meyer, dass Ollis Mutter ihren Laden schießt?
5. "Wir können auch anders", sagt Herr Meyer. "Was meint er damit?" fragt sich Olli. Überlegen Sie: Was können Herr Meyer und die Firma "Megamarkt" machen? Werden sie Erfolg haben?

9. Brennt das Asylantenheim?

1. Richtig oder falsch?
- Die Asylanten sind Vietnamesen.
- Die meisten Menschen in Hohenroda sind gegen die Asylanten.
- Die Vietnamesen ziehen mit Fackeln und Fahnen in ihr neues Heim.
- Maik hat einen Marsch gegen die Asylanten organisiert.
- Olli marschiert nicht mit.

2. Welche Adjektive aus der folgenden Liste würden Sie auswählen, um (a) die Mitglieder der "Nationalen Deutschen Jugend", (b) Ollis Vater zu beschreiben? alt, amüsant, ängstlich, anständig, anstrengend, ärgerlich, aufgeregt, bedauerlich, beliebt, bitter, blind, böse, braun, charakteristisch, dankbar, dumm, echt, ehrlich, einfach, einig, ernst,

erwachsen, fähig, faul, feindlich, fein, fleißig, frei, freundlich, fröhlich, furchtbar, geduldig, gefährlich, gemütlich, gerecht, geschmacklos, gewöhnlich, glücklich, grob, groß, gut, hart, hässlich, herzlich, hoffnungslos, hübsch, hungrig, interessant, jung, kalt, kaputt, klein, klug, komisch, kräftig, krank, lächerlich, langweilig, laut, lieb, lustig, mächtig, menschlich, merkwürdig, müde, mutig, nachdenklich, national, natürlich, neidisch, nervös, neugierig, niedrig, normal, nutzlos, ordentlich, peinlich, persönlich, politisch, realistisch, rechtmäßig, rechtzeitig, rein, richtig, roh, ruhig, sauber, schlecht, schlimm, schmutzig, schnell, schön, schrecklich, schuldig, schwach, selten, sicher, spaßig, stark, stolz, sympathisch, teuer, traurig, treu, typisch, unheimlich, vergnügt, vernünftig, verrückt, verwirrt, vorsichtig, wach, weich, wertvoll, wertlos, wild, wunderbar, zart, zwecklos.

10. Die "Schwalbe"

1. Stellen Sie sich vor, Sie könnten das Gespräch zwischen Herrn Meyer von der Firma "Megamarkt" und dem Bürgermeister aufnehmen. Schreiben Sie den Dialog auf!
2. Wie kommt Olli zu seiner "Schwalbe"?

11. Ans Meer

1. "Was habt ihr für Träume?" fragt Olli. Wie würden Sie ihm antworten?
2. Wären Sie gern Koch? Warum/Warum nicht? Welche Punkte sind für Sie bei der Wahl eines Berufs wichtig?
3. Olli träumt immer noch von Sabine. Macht er einen Fehler?

12. **Die Rückkehr des verlorenen Sohnes (2)**

1. Würden Sie gern Urlaub im "Hotel Hohenroda" machen? Warum/Warum nicht?
2. Stellen Sie sich vor: Sie sind Marlies. Sie schreiben einen Brief an Ihre beste Freundin über Olli.
3. Das Buch endet mit einer Frage. Was meinen Sie? Wie soll es weiter gehen mit Olli? (Sie können auch an den Verlag schreiben…)